- Este es un portal de Internet en español para niños amigos de los animales.
 Tengo amigos en España, Argentina, Guinea...

- Este es mi amigo Óscar. Tiene nueve años y es cubano. Tiene dos perros.

http://www.amigos de los animales.com/chat_3245oscar

Ana

- ¡Hola, Ana! ¿Cuándo es tu cumpleaños?

- El 27 de noviembre. ¿Y el tuyo?

- El 12 de octubre, este viernes. ¡Ven a mi fiesta! ¡Ven con Colega!

- ¡¡¡¡¿Cómo?!!!!

- ¡En avión!

▼ Conectado:
Oscar

06:09PM

06:12PM

- Tenemos veintidós euros y cuarenta céntimos.
Ir en avión a Cuba cuesta mucho más dinero...
¡Tengo una idea, Colega!

- ¡Hola, abuela!, ¿adónde vas?
- Voy al parque con mis amigas.
- ¿Te llevo? Cuesta un euro.
- No, gracias, voy a pie.

- Hola, papá, ¿adónde vas?
- Voy a trabajar.
- ¿Te llevo? Cuesta un euro.
- No, gracias, Ana, voy en coche.

- Hola, abuelo, ¿adónde vas?
- Voy a la piscina.
- ¿Te llevo? Cuesta un euro.
- No, gracias, voy en autobús.

– ¡Hola, Julia!, ¿adónde vas?
– ¡Hola, Ana! Voy a comprar el pan.
– ¿Te llevo? Cuesta un euro.
– ¡Vale!

- Hola, Chema, ¿adónde vas?
- A casa.
- ¿Te llevo? Cuesta un euro.
- ¡Bueno!

- ¡Hola, Rubén! ¿Adónde vas?
- Voy a casa.
- ¿Te llevo? Cuesta un euro.
- ¡Vale!

– Abuela, ¿me das la paga?
– Claro, toma.
– El viernes voy a Cuba en avión.

– ¿Qué tal, Colega?

– **C**olega, tenemos treinta y seis euros y cuarenta céntimos. ¡Los viajes a Cuba cuestan mucho más!

– Ana, puedes comprar un regalo a tu amigo y enviárselo por correo. ¡Ven conmigo!

– ¿Qué prefieres, la raqueta o el peluche?
– ¡La raqueta!

– Esta foto, también para tu amigo.
¡Seguro que le gusta!

– ¿Cuánto cuesta enviar este paquete a Cuba?
– Dieciocho euros con once céntimos.
– Toma.

EL MALECÓN* LA HABANA
CUBA

Hola, Ana:

Muchas gracias por tu
regalo, me gusta mucho.
¡Me encanta tu foto con Colega!
Besos para ti y para Colega desde
Cuba.   Óscar

Ana González

C/ Laurel, 27

28760, Tres C

Madrid

El Malecón
Cuba